JAMAIS PEÇO DESCULPAS POR ME DERRAMAR

Ryane Leão

Jamais peço desculpas por me derramar

poemas de temporal e mansidão

ilustrações de laura athayde

Planeta

Copyright © Ryane Leão, 2019
Copyright © Editora Planeta do Brasil, 2019
Todos os direitos reservados.

Preparação: Luiza Del Monaco
Revisão: Renata Lopes Del Nero e Karina Barbosa dos Santos
Projeto gráfico e diagramação: Jussara Fino
Capa e ilustrações de miolo: Laura Athayde

Dados Internacionais de Catalogação na Publicação (CIP)
Angélica Ilacqua CRB-8/7057

> Leão, Ryane
> Jamais peço desculpas por me derramar / Ryane Leão. –
> São Paulo: Planeta do Brasil, 2019.
>
> ISBN: 978-85-422-1772-8
>
> 1. Poesia brasileira I. Título
>
> 19-2044   CDD B869.1

Índices para catálogo sistemático:
1. Poesia brasileira

MISTO
Papel | Apoiando o manejo
florestal responsável
FSC® C005648

Ao escolher este livro, você está apoiando o manejo responsável das florestas do mundo, e outras fontes controladas

2024
Todos os direitos desta edição reservados à
EDITORA PLANETA DO BRASIL LTDA.
Rua Bela Cintra, 986 – 4º andar
Consolação
01415-002 – São Paulo – SP
www.planetadelivros.com.br
faleconosco@editoraplaneta.com.br

*a todas as pessoas
que têm correntezas vorazes
se lançando dentro do peito*

**lembrem-se,
estamos em constante movimento**

todas as revoluções
que eu desejo
começam em mim

as mudanças mais bonitas
não vêm com calma e sossego
são uma ventania incontrolável
jogando tudo pra cima
nada cai no mesmo lugar
nem as coisas
nem o coração
nem você

– o tempo fechado nos abre

se sou raio
que eu saiba iluminar
a minha estrada
nesse breu
que eu saiba golpear
mesmo no escuro
me emprestem a retina
de minhas ancestrais
que enxergaram fé
quando tudo era medo

se carrego relâmpagos
nas veias
que eu saiba
que o que corre em mim
tem brilho
tem jeito
tem potência
eu sou capaz de fazer
a terra tremer

se sou vento
que eu passe pelos vãos
dos seus dedos
que nada possa
me segurar
me limitar
me fazer
menos presente
vendaval não pede licença
pra escancarar as janelas
ou o coração

se sou brisa leve
que eu saiba me dividir
com aqueles que sorriem
ao me ver existindo
que eu saiba sustentar o amor ▶

▶ dentro do peito
dentro do abraço de quem me diz
que resistiremos
que lutaremos
que seremos
assim seja

se sou furacão
então eu posso destruir
antes de ser destruída
e se preciso for
tiro absolutamente tudo do lugar
e defino como vai ser a partir
de agora

se sou sagrada
que eu me benza com folhas
e búzios e velas e mãos entrelaçadas
quando dizem eparrei
a força que me invade
não me permite
o silêncio

se sou nuvem carregada
que eu me despeje e deságue
e que mesmo que eu termine
chuva de granizo
nasci oceano
sou mais inconstante que o mundo
sou onde tudo começa e termina
sou a história que eu quiser contar
sou revide antes mesmo que alguém
tente me atacar
sou estrondo de trovão
meus pés descalços tocam o chão
estremeço
mas sou profunda demais
pra acabar

me reconstruir da alma aos pés
foi o sinal mais evidente
da sua chegada

não é tarde para que a gente
se abrace com mãos quentes
entrelace as pernas em rima
e garanta que nunca mais
seremos sede

deixa eu te mostrar
que a mulher preta
não é feita
só de dor

você é o excesso
do excesso
tudo ou tudo
você é uma estrada
que nem sempre
dá no mesmo lugar
você é um país
que ninguém vai
dominar

se irritam contigo
porque você acredita
e vai até o fim
e mesmo quem não te entende
vidra em você

você é uma mulher
que carrega fogos de artifício
por dentro
em vez de borboletas
quando você ama
você ilumina
as beiras de todas as praias
como nos dias de ano-novo
cheios de possibilidades

você é noite de lua cheia
semana de carnaval
gole de cachaça docinha
música ao vivo na rua
numa tarde de sol
e todas essas coisas
que mexem com a cabeça
de qualquer pessoa ▶

▶ você é previsão de
pancadas de chuva
e quem é que já conseguiu
parar um temporal?
quem se afastou de você
e tentou te calar
foi porque percebeu que não pode
te controlar

só permanece
quem é de mergulhar

você decora discos inteiros
memoriza risos
e sabe que banho de rio
melhora qualquer desalinho

você aprendeu a ser mais gentil
com o seu corpo
não força mais a barra
consigo mesma
e se dá tempo pra descansar

você é uma mulher que sabe
que outras mulheres vieram antes
pra que agora você firmasse a sua voz

você não é uma flor
você é toda uma floresta
bonita
incomum
imensa
inesperada
e deixa seu conselho:
preste atenção em onde pisa
que as minhas raízes
continuam
a crescer

o que me faz poderosa
não é só essa força desmedida
esse grito potente
se estou de pé é justamente
porque me permito a queda livre
me deixo desabar
sentir o gosto do chão
desaguar
digo pra minha intensidade
descansar
pra dor não faço lar
mas permito a visita
não serei inabalável
não insista
quando estou fraca
tenho coragem
de me encarar

para nós que temos pressa
desejo que ainda haja vontade
de contar estrelas durante a noite
para nós que temos pressa
desejo que possamos ler um poema
a ponto de senti-lo mudando nossos rumos
para nós que temos pressa
que respirar fundo substitua
os pés nervosos e as mãos trêmulas
para nós que temos pressa
que a angústia nos esqueça
descanse entre as brechas
para nós que temos pressa
que ela não seja fuga
pro que somos
para nós que temos pressa
desejo que atrasos bonitos
nos encontrem
para nós que temos pressa
desejo atalhos entre os
trilhos descompensados
para nós que temos pressa
que saibamos que o retorno
é perigoso e por vezes impossível
melhor parar
admirar as demoras
pra então seguir

eu vou ser sincera
eu quero sempre ser sincera
contigo e comigo
eu tô um bagaço
olheira, boca seca, falta de apetite
eu ando cansada demais
minhas costas doem muito
às vezes tenho a sensação
que perdi mesmo a cabeça
mas os dias continuam
e eu vou dando um jeito
de ir com eles
você percebe que chamam a gente
de forte o tempo todo
mas esquecem que somos
carne e osso?
eu não quero ter que fugir de mim
eu não quero ter que fugir de você
eu não quero ter que fingir
que sou inquebrável
desde quando se fortalecer
é não cair?
conhecer as ladeiras
nem sempre evita
que a gente escorregue por lá
e se estabaque com a cara no chão
e tudo bem, tudo bem errar

ontem eu deitei na cama
fechei os olhos
e tentei esquecer
todos esses nomes
que moram em mim
são tantos andando aqui dentro
que fico alternando entre ser tão boa
e tão péssima nessa coisa de deixar ir
depois tentei lembrar do barulho das ondas
estar longe do mar
me murcha inteirinha ▶

▶ hoje eu só vou dar conta de cuidar de mim
não posso doar quando estou oca, entende?

você me chama de rainha
mas não banca o elogio
porque não reina comigo
eu amo a minha solidão
mas também preciso de abraço
de colo, de porre, de convite
de ajuda, de norte, de fé
comigo ninguém pode
ou eu é que não posso
com ninguém?

às vezes quando falo sobre desmoronar
dizem pra deixar pra lá
mas eu nunca vi tristeza passar
sem ser sentida
ignorar as feridas
não vai estancá-las
tem que parar, olhar
lavar, passar remédio
e soprar, não tem?

a poesia não quer dizer
que sobreviver é artístico
sobreviver dói e arranca sangue
é que as palavras têm dessas
de acalentar

não se iluda
hoje eu não vou pro front da luta
nem precisa me chamar
eu não desisti não
só tenho que me restaurar

curar começa quando
dizemos nossas verdades

será que é mesmo o mercúrio retrógrado
a lua em câncer
o sol em capricórnio
a correria, a distância
a rotina, o passado

ou é só você
que não consegue bancar
o que está sentindo?

caminho inviável e perigoso
esse de se prestar
a reverter erros alheios
cuide do seu coração fértil
seja vitória-régia
que sabe quando dá flor
se dedique a lutar
por você

você me
de
ses
tru
tu
ra

você me dá aquela sensação
de poder ser eu mesma
sem armaduras
e nossos olhares são capazes
de causar um incêndio
onde tudo era faísca
come on, baby
que eu voltei até a ser clichê
dizendo que sim quando você
me chama pra visitar
todos esses universos
que cê carrega dentro de si

eu sou maravilhosa sozinha
mas com você sou
o dia todo
poesia

eu quero conversar contigo
por madrugadas a fio
ouvir sobre o que
te faz leve e o que te apavora
ouvir sobre quando você foge
e quando você se demora
quais são os discos que te curam
quais são as músicas que
te recomeçam
por onde você viajou
quais os gostos que cê guarda
nesse sorriso que soltou ▶

▶ eu sei que você também tem vontade
de me ouvir um tanto assim
tem partes de você
que se reconhecem em mim
cê não sabe disfarçar não
nossas histórias se esbarraram do nada
ou será que o acaso já tinha
a intenção?

eu tô na sua
então pode perguntar
sobre meus livros, minhas constelações
minhas inseguranças
eu te conto sobre todas as minhas revoluções
minhas andanças

se quiser me descobrir com a língua
não tem erro, cê sabe por onde começar
e se você quer me ver dançar
é só escolher o som

cê sabe que se eu te chamar
cê vai querer ficar
não tem jeito
eu sou essa explosão
no seu peito
e eu gosto de caminhar
com quem tem coragem
de viver o que sente
e aí, cê vem?

me leem zona de perigo
me pedem pra sorrir mais
me definem como assustadora
cara fechada, cara de brava
não pertenço, não encaixo
e não sinto vergonha
crio minhas próprias regras
só me comprometo com linhas
e com a euforia dos meus ossos
não fico submersa
em uma lista de como agir
para que me amem

basta que eu me abrace

mulheres como eu estão em toda parte
em toda parte
e não é preciso coragem
para se aproximar delas
é preciso se aliar
ao motim
é preciso
arder

a dor não me fez bruta
mas sou marcada
difícil encarar as cicatrizes
de uma mulher selvagem que tem cada poro
em constante luta

eu beijo o silêncio de estar comigo
crio intimidade com a minha solidão
me atento a quem se entrega
e nem noto quem desvia

não quero jogar
porque se eu ganhar
você me perde
no final

estou oscilando
entre te querer
e me querer

fica fácil decidir
quem escolher

– eu vou só

sankofa

herdei de minha mãe a coragem
para me erguer e prosseguir
e também os seus fantasmas
quando choro as lágrimas vertem por duas
por todas as vezes em que ela se sentou no sofá
com a mesma expressão de luzes rompidas
uma mulher forte é uma mulher interrompida
minhas palavras recorrem aos seus silêncios
abrem uma fresta de sua porta devagar
primeiro pedem desculpa
por todas as incompreensões antigas
e as exigências em te querer sempre de pé
depois pedem permissão
para aproximar sessenta e dois anos
do meu colo que não mais se distrai

abandonar-me está fora de cogitação
senão quebro o fluxo da continuidade
de seus nortes ▶

▶ herdei de minha mãe
as garras que se prendem ao que se quer
eu amo tudo que ela criptografa
e quando descubro estão em mim
seus sinais, desejos e fugas

tudo bem, está tudo bem
suas notas de perdas estão bem guardadas
e cabe a mim saber manter as colisões
em seus devidos lugares
saber o nome das prisões
para poder triturá-las com os dentes
o que não se nomeia vira pó que nada elimina
chega a cegar os olhos

mas nem tudo que passa é nó
e nem tudo que fica
importa

herdei de minha mãe
o não esquecimento
e a urgência de nos compor

meu corpo enredo
pedindo o seu
carnaval

não há ciclo
feitiço
amarração
remédio
identificação
desculpa
porre
ou poesia
para prolongar pessoas

partir ou ficar são escolhas
não acidentais
e intransferíveis

há pessoas que são cidades
lotadas, intensas, ruidosas
oscilando entre o encanto e o caos
tão profundas e tão acostumadas
com quem logo quer se mudar
mas se você ficar vai ver que
há partes muito bonitas morando ali
elas vão te mostrar lugares que você
nem imagina
elas brilham muito
durante a noite
e no fim da tarde
você pode olhar o pôr do sol
nos olhos delas

teu céu precisa gritar
enquanto você abafar esse trovão que te habita
as pessoas farão o mesmo

– seja a primeira a se ouvir

naquelas travessias
aquelas em que ninguém quis vir comigo
aquelas negadas com gosto por quem
me garantiu constâncias
aquelas que cruzei mesmo tremendo as pernas
mesmo de olhos inchados
mesmo de punhos marcados
aquelas que construíram meus escudos
aquelas que inflamaram minha pele
que fizeram pequenas quedas serem ambições
que apagaram datas
mas fixaram rostos
que marcaram minha linguagem e meus gostos
trajetos de explosões e nomes desabitados ▶

▶ além de mim
não houve uma pessoa sequer
com coragem suficiente para morar
na descrição desses tempos

se encostar aqui vai sentir primeiro pele
depois ossos
depois inverno
inferno
barrancos contínuos

é por isso que toda vez que sorrio
o universo vem beijar meus pés

eu carrego o segredo do amor
que não pode morrer

você vai conhecer pessoas que vão embora muito rápido
e outras que vão permanecer e te ensinar sobre os dias
você vai conhecer pessoas que vão te dar um baque forte
   [na hora
e mesmo assim não estarão prontas para caminhar
   [contigo
e outras que vão chamar sua atenção muito depois
e vão topar dividir vivências ao seu lado
você vai conhecer pessoas que vão te fazer pensar sobre
   [vidas passadas
não é possível que vocês nunca tenham se encontrado
   [antes
você vai conhecer pessoas que vão fazer você querer
   [perguntar sobre tudo
porque absolutamente tudo sobre elas vai parecer
   [interessante
você vai conhecer pessoas que vão te fazer confundir amor
   [com violência
e outras que vão aparecer naqueles instantes em que
   [olhar nos olhos também cura
você vai conhecer pessoas que vão te mostrar que
   [somente você pode ser a sua casa
e outras que vão te ajudar a ajeitar a bagunça
você vai conhecer pessoas que vão te despedaçar
e outras que vão beijar suas cicatrizes
você vai conhecer pessoas que vão querer te ouvir
e outras que vão tentar tapar a sua boca
você vai conhecer pessoas que vão acender o seu pavio pra
   [te fazer brilhar
e outras pra te fazer queimar
você vai conhecer pessoas mornas ▶

▶ e outras que vão dançar contigo no meio da sala de casa
[numa terça à noite
você vai conhecer pessoas que vão te fazer duvidar de
[acasos
e outras que vão te fazer desejar coincidências
você vai conhecer pessoas que vão te amar quando estiver
[na merda
e outras que vão embora sem te proteger
você vai conhecer pessoas que vão te revolucionar em
[poucas horas
você vai conhecer pessoas que sentem na mesma
[intensidade que você
você vai conhecer pessoas que vão chegar quando nada
[fizer sentido
e outras que vão te dar vontade de encarar a vida

os encontros não são tão simples
nem tão despretensiosos
saiba que se você for mulher será foda
se você for mulher preta
será mais foda ainda

talvez você não conheça todas essas pessoas
ou conheça muitas delas em uma só
ou talvez já tenha ouvido falar sobre elas
obviamente algumas são mais raras
que outras
então cuidado
com quais pessoas
você vai convidar
pra ficar

celebre a mulher
que você está se tornando
não tape os ouvidos
ela está te chamando
ela dança com o fogo
ela é pancada mas também é doce
ela sempre foi sua melhor escolha

ela é tudo aquilo
que sobreviveu

toda vez que ligo pra minha vó
primeiro ela me dá sua bênção
depois ficamos mais de quarenta minutos
falando sobre o clima
o de lá e o daqui
frio e calor se fundem rapidamente
ela agradece as orquídeas e diz
que estão pegando sol na cozinha
e nossas vozes aproximam gerações
eu sei que ela está sentada
ou no sofá ou na cadeira de cordas de plástico
assistindo missas ou noticiários
nossas fotos de criança
aconchegando a sala
e desaparecem
os mil quinhentos
e trinta e oito quilômetros
que só as mais velhas
têm a mágica
de amenizar

redundante é ter o mundo nas costas
mais uma vez

eu gostaria que minha história fosse cheia
não vazasse pelos cantos
mas suportei tantos tropeços
que nada que me cabe é equilíbrio
como sempre me disseram pra relevar
aprendi a dar segundas chances
para qualquer pessoa que não eu
como desmontar as crenças
como escalar o que venho carregando
pra dar espaço
pra minha fala e pro meu corpo
que no momento só desejam
que as consequências parem
de me chamar pra dançar
com a mesma frequência em que acredito
que destino tem mais do que eu não disse
do que aquilo que aprendi a gritar

perdi grandes partes de mim
que não recuperei ainda
e reconstrução não é junção
é dar um jeito com o que se tem
transformar nada em universos
em segundos

acabo de me mudar novamente
toda casa que moro
eu que criei

pai,
teus olhos vermelhos me disseram
que o mundo te esqueceu
ali eu te fiz memória
eu canto uma música pra você todos os dias
escrevo sobre seus rastros
falo seu nome inúmeras vezes
enquanto sonho acordada
e não deixo a sua energia abandonar
essa existência

você falhou muito
partiu cedo
e a sua segunda chance
é o meu ser palavra

te vendo daqui pegando suas coisas
pra sair dessa casa que nunca te foi lar
sinto vontade de te abraçar apertado
e repetir:

está dando certo
você conseguiu

te convenceram que desistir é uma merda
mas desistir muitas vezes
é o gatilho certo pra renascer
ainda bem que mesmo que por um fio
você foi embora daí

quero te contar que você sobreviveu
que a depressão não conseguiu te comer viva
que as idas frequentes ao hospital pararam
que aquele buraco no estômago
aquele enjoo, aquela rua sem saída
tudo isso cicatrizou
e virou uma marca que inevitavelmente
você veste todos os dias
mas agora isso é um atalho
para que outras mulheres
não precisem pular precipícios
por ninguém

quem diria que a sua história
viraria um mapa pra tantas de nós?

pensando bem
você sempre teve
essa fé desmedida
e foi um erro brilhar tantas vezes
pra iluminar escuridões que nem eram suas
mas isso te fez virar galáxia ▶

▶ desde pequena você transforma
caos em estrelas

você ainda não se deu conta
mas é o seu corpo que te fará companhia
pro resto da vida
e só saber disso faz dele algo tão poderoso
você está fraca agora
e continuar dói pra cacete
mas liberta

quero contar que você vai conseguir olhar no espelho
e enxergar um rosto cheio de linhas
e que você finalmente vai conhecer
gente que te lembra que você é linda
e que não é difícil te amar
vai haver muitas despedidas
pra abrir lugar pra essas novas pessoas
é cíclico

há livros morando em cada uma de suas expressões
livros que contam sobre uma mulher
que é uma em muitas
muitas em uma
você é sua prioridade
e não cabe egoísmo
no autoamor

não tenha pressa
todo processo curativo
não é tão rápido
ou tão bonito assim
e vai ver se curar é algo diário
tem dia que dá e tem dia que não dá
e tudo bem ▶

▶ é possível amar depois da dor
mas serão amores diferentes de tudo que você já sentiu
porque amar também é perspectiva
e existe diferença entre amar sendo segundo plano
e amar sendo protagonista

te escrevo de uma casa que é confortável
bate sol e tem rede na sala
e te conto que você escreveu um livro
que tem feito mulheres abandonarem silêncios
você conheceu a dor cedo demais
pra que agora pudesse existir
em paz

– uma carta para a mulher que fui

olhar em volta e perceber
quando você é tudo que resta
isso já é o suficiente

alguém que me pergunte
se tem sido fácil cruzar os meus oceanos
ou se o mar está revolto
como nunca

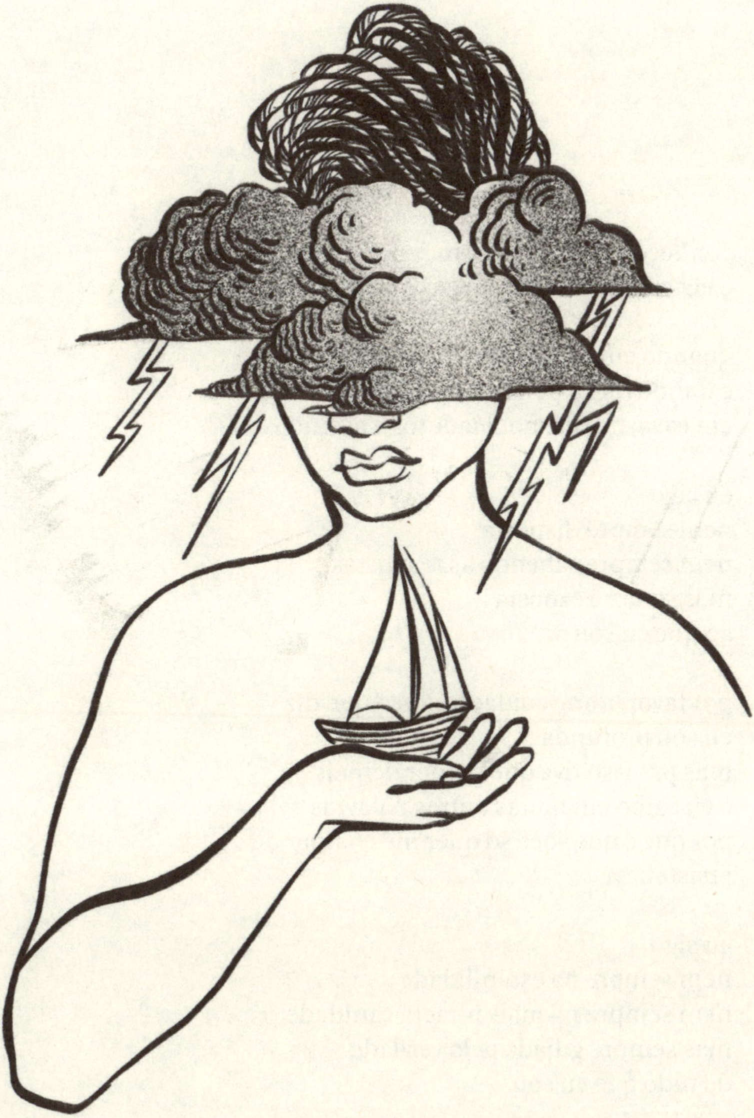

conheço a dor crua e sem freios
e ela simplesmente chega causando tumulto

quando eu vejo já estou num novo começo
catando meus pedaços que caíram
em casa, na rua, nos viadutos e avenidas

eu sigo
nem sempre disposta
nem sempre sabendo as respostas
mas sempre exposta
ao que eu sou

por favor, tome cuidado com o que diz
eu sou profunda
mas pra isso tive que perder demais
e eu caibo em tantas outras palavras
por que é que você só quer me chamar de
resistência

eu sigo
nem sempre na estabilidade
nem sempre na mais intacta sanidade
mas sempre guiada pela verdade
de tudo que eu sou

num mundo faísca
nasci turbilhão

a suavidade e o caos
perpassam meu corpo na mesma sintonia

você se mostra
e eu me decido
borboleta
ou búfalo

assim que me viu perdida
e atordoada
ela me abraçou
cantou e dançou comigo
sussurrou

vou te elevar

algumas pessoas
cessam guerras
num instante

falador passa mal
e eu quero paz

eu sou cria de orixá
quando chove não saio fechando tudo
eu faço o contrário
abro todas as portas e janelas
também preciso escoar
tempestade é fichinha
pra quem é de transbordar

eu não estou sozinha
e saber disso é combustível
pra encarar mais uma semana
que começa e eu não sei como termina
eu não abandono
as minhas batalhas no meio
ou você acha que eu cheguei até aqui
porque eu tô a passeio?
eu ando ao lado de rainhas
só me disperso nas
minhas próprias linhas
eu tô com a caneta na mão
chega aqui perto pra ver
que a minha história
quem escreve
sou eu

desde pequena
filmes, poemas e músicas
definiram o amor e as dores
como obrigatoriamente próximos
então me apaixonei rapidamente
pelo que me machucava
mais do que pelas coisas suaves
e agora preciso esfregar no banho
essas violências que grudaram
no meu cabelo e nos meus braços
me convencer
não me sabotar
não duvidar

intuição e insegurança se embaralham
quando sei o que devo fazer
e paro pra me escutar
não consigo identificar o sentimento
e separar as vozes antigas de meus receios
estagno

talvez não fosse preciso encarar trevas
para conhecer a luz
se desde o início meu alimento fosse feito
de narrativas construídas por mim mesma

então olharia pros meus pés descalços e veria asas
me devolveria calendários, movimentos e fôlegos
e me escolheria
me escolheria

o seu medo da palavra suicídio
nunca fez uma vítima a menos

depressão é água que não dá pé
é quando tudo e nada são urgência
é silêncio gritado
o gosto da morte caminhando ao meu lado
depressão é quando o pedido de socorro
mora na ausência constante
é quando ninguém sabe lidar
e ainda esperam que eu saiba
depressão é céu vermelho de inverno
é engolir a minha própria voz
é quando estar quebrada parece ser a única
realidade que conheço
é quando por mais que eu tente dizer sim
meu corpo continua dizendo que não

e você continua falando comigo
como se eu fosse os amigos que foram embora
como se eu fosse todos que não me abrigaram
como se eu fosse os remédios que eu tomo todos os dias
como se eu fosse exagerada
como se eu fosse o meu passado
como se eu fosse o meu abuso
como se eu nunca tivesse morrido
como se eu conseguisse chorar

ninguém quer saber
se sinto mais raiva que tristeza
ou mais tristeza que raiva
ou se há dias em que me sinto livre
ou se nem sinto mais nada

aos que se foram
peço a oxalá que lhes dê a paz
que aqui não encontraram
mas e quanto aos que ficaram? ▶

▶ nayo jones diz
que tudo que é bonito tem uma consequência
e eu penso nisso todo dia
quanto do sangue da poeta você vê na poesia?

mas hoje, hoje serei mais que um diagnóstico
porque apesar de toda maldade do mundo
coisas bonitas continuam acontecendo
sem o nosso controle
que hoje eu seja uma delas
minha voz é um estrondo
e vale a pena ser ouvida
e meu corpo também fala
é em mim que está a saída
hoje eu não vou pra lista
de pretos que se foram
essa lista que todo mundo cita

que hoje eu reconheça
até na fraqueza
um motivo para revolução
hoje serei minha própria cura
hoje não terei vergonha
hoje não vou esperar que me salvem
e se não houver ninguém para me dizer que sou sagrada
que eu seja a própria deusa de minhas águas salgadas
hoje não estarei no olho do furacão
hoje serei o furacão
hoje estou viva
hoje estou celebrando
tudo que sou
hoje escolhi o gosto de vida
hoje sou coragem
hoje estou viva
hoje estou viva
hoje estou viva

e quem sabe me vendo aqui
viva
outras pessoas escolham
permanecer vivas também

as partes de mim
que ainda não são cicatrizes
logo vão notar
que tudo em mim
é possibilidade

se tô quebrada a poesia me remonta
se tô inteira a poesia me reconta

premissa essencial de conduta:
ser vulcão sem culpa

quem disse que precipícios eram condição eterna?

se assombro é acúmulo do que veio antes
então medos são milimetricamente
fáceis de serem explicados

corra atrás deles
faça-os falar

a sua boca está tremendo
quando você me diz que eu sou sozinha
que eu não tenho ninguém
três segundos depois disso
eu posso ver a solidão
que te assombra
escancarada nos seus olhos
pra que usar as palavras desse jeito
com intenção de rachar o meu peito
por que é que você quer o seu pior
morando em mim também?
amar é dividir nossos pavores
e não transferi-los pra outra pessoa

você está na contramão

a sua falta de atenção
com as palavras
que saem da sua boca
vai acabar fazendo
a poesia morrer
em você
tem coisa mais triste
que não ter poemas
pra contar?

você quer me definir
parece ter certeza do que eu sou
mas não se interessa em ser
a minha carne por um tempo
ou em me perguntar
como anda o meu fôlego
quando eu acordo de manhã
nem quer saber com que potência
meus vazios me engolem ▶

▶ você não vai conseguir me fazer
entrar em guerra comigo
atrás da minha paz
há outras maneiras
de chegar até ela

hoje eu enumerei algumas coisas
que me definem, dentre as tantas
que existem e ainda podem existir
já que estou em constante descoberta
de mim:

eu sou a escolha da coragem
eu sou a frequência cardíaca acelerada
eu sou o gosto de vida nos lábios
eu sou o raio que cai muitas/quantas vezes onde quiser
eu sou uma mulher que carrega fogo nos olhos
e montanhas nas mãos
eu sou a encruzilhada que confunde quem
quer me derrubar
eu sou o riso alto daqueles que amo
eu sou o fragmento do melhor livro que já li

acho que você se confundiu
não sou sozinha
só já não tenho problemas
com a minha solidão
quando ela vem eu sorrio
digo assim:
me conta um pouco mais
sobre mim?

quando coração
vira labirinto
nem penso
só sinto

eu não sei direito como te pedir isso
agora que eu também estou desabando
mas por favor
não se entregue
ainda estamos aqui
ainda há possibilidades
em alguns abraços

serão madrugadas imensas
então fique atenta às estrelas
talvez os baques nunca acabem
mas pelas que se foram
sou e serei vento
nem sempre forte
mas sempre presente

de quem são os ouvidos
quando meus relâmpagos escorrem em líquido
prateado que queima mas também é luz
de quem são os ouvidos
quando a ansiedade decora o meu nome
e confundo madrugadas com vozes afiadas
que esmago nas mãos até cortar as linhas
que dizem guardar meu futuro
meus amores e meus efêmeros
de quem são os ouvidos
quando minha voz se fragmenta
e as cordas vocais entram na dicotomia
do sussurro e do grito
e eu não mais sei a diferença
entre a tolice e a persistência
de quem são os ouvidos
enquanto insisto em ocupar espaços
e esvazio a mim mesma
de quem são os ouvidos
se eu mesma me abandono
proponho exílios ao meu peito
se hoje eu não dou conta de ser eu
quem vai dar jeito
de quem são os ouvidos
agora que me veem poeta
a que fala ▶

▶ agora que me veem como sobrevivente
a que insiste
agora que me veem como forte
a que se firma
agora que já sei que posso voltar
quem vai me buscar no retorno
na esquina, no limbo, no poço
de quem são os ouvidos
que mais chovem
do que suportam tempestades
de quem são os ouvidos
quando digo que falei demais
mas se a vida toda silenciei
onde está o excesso de voz
onde se instalam as palavras
que foram perdidas na infância
dá pra recuperar o que ficou
preso no diafragma?

por ora não me curo
mas por ter me salvado
tantas vezes só
me faço ancestral
para as que virão
e isso basta

me resgata das pedras pontiagudas
preenche novamente meus pulmões
retira o arame farpado dos meus dedos
transcorre o rio que se formou no meu rosto
estanca o desespero do indizível
trança meus cabelos com búzios dourados
me coloca anéis de rebeldia
e se abeira em meus ouvidos
para me dizer
reine

– a deusa que aqui habita

você precisa ser mais parecida com a água
não tem que ser porto seguro a todo instante
pode ser correnteza e aproveitar pra levar algumas coisas embora
pode ser onda grande no oceano e afogar o que já não importa
se desfazer nas margens
em grandes pedras
ultrapassá-las
pra notar que nada te impede
vez em quando virar uma cachoeira
daquelas enormes e inalcançáveis
ou então lagoa calma mas distante
só nada quem pegar a trilha
você pode ser aquele fluxo de água que desce entre
as frestas de uma rocha
e mostra que algumas rachaduras são necessárias
para que a beleza nasça
quente ou fria
abundante ou serena
jamais peça desculpas
por se derramar

eu que já falei sobre mares
furacões
vendavais
riachos
e transbordamentos

escrever pra você é ainda mais imenso

eu que já andei
em caco
em fogo
em prego
e metal quente

eu não estou acostumada a ser leve
mas você me mostra
que podemos nos identificar
além da dor

por isso me entrego
impetuosa
na mansidão

desconfio que certas cicatrizes
nunca fecham de vez
só ficam esperando
domingos
madrugadas
tentativas
friozinhos e garoas
para que se espalhem pelo quarto
e comecem a gritar

bom mesmo seria poder escolher
qual ferida a gente dá conta de encarar novamente
e qual queremos deixar quietinha pra nunca mais
mas essas que abrem e se esparramam
são justamente as que ainda nos consomem
talvez elas estejam implorando
para serem ouvidas
talvez elas latejem
para lembrar que escapamos
talvez elas procurem outro olhar
talvez elas queiram nos mostrar
que perdemos muitas horas decorando a dor
e esquecemos completamente de nos concentrar
em nossas continuações
pequenas grandezas
que aparecem em semanas comuns
cheirinho de dendê na feira do bairro
a flor que invade o muro da casa do lado de fora
e nos topa enquanto andamos na calçada
o abraço apertado de uma saudade desmedida
se demorar com quem não tem pressa de te observar
cafuné de vó, risada de mãe, conselho de irmã

caminhos abertos pedem desvios do óbvio
quando a mágoa te contornar
levar a primavera consigo
se atrair por novos sentidos

as paredes chegaram a gritar

viver é muito perigoso
estamos sempre por um fio

os tacos do chão queimaram
meus pés feito lava

e eu não sei se doeu mais
sua consciente loucura
suas unhas cravadas
seus empurrões
seu deboche
ou a vontade
de nunca ter
te deixado entrar

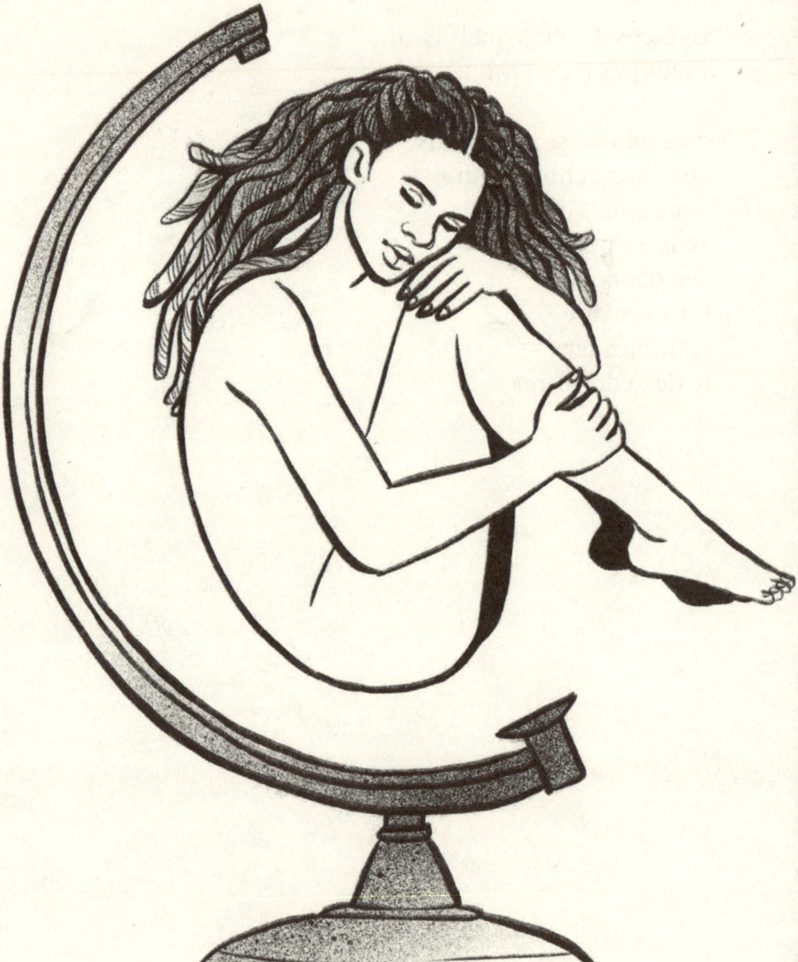

conhecer o que mora em mim
não quer dizer que eu saiba
lidar com coisas vastas

a primeira vez que admiti ser fraca
senti o céu rachando ao meio
e era só eu me permitindo ser crua
se o disfarce do inabalável
resulta em queda bruta
a honestidade
fará espiral
em mim

de novo e de novo

expectativa. o estômago tremendo, as mãos apertadas, a cabeça em outro lugar que não aqui nem ali. criar uma história tão longa que mal caberia num livro inteiro até, pá, quebrar a cara pela milésima vez. é assim mesmo, você repete pra si mesma sabendo que não vai se convencer. poderia ser agora, poderia ser depois, mas se nunca aconteceu, eu preciso é cair na real, né? o corpo chega a suar frio diante da impossibilidade. vai ficar tudo bem, claro, é só que às vezes eu fico esgotada com a minha capacidade de tecer o que nunca existiu. quer dizer, até existiu, mas só existiu pra mim, daí não adianta muita coisa. eu já não sei dizer como anda meu coração. anteontem ele tava melhor que hoje. meu coração é remendado com os nós que os outros criaram e eu consegui desfazer. com a minha vontade que eu encontrei quando não restava mais nada a não ser eu mesma. com cachaça. com a poesia que conta sobre fins e começos. com essa mania, essa mania foda, de acreditar. talvez eu não tenha caído até hoje de vez porque ainda acredito. acreditar é diferente de criar expectativa. eu preciso entender isso. acreditar é saber que existe um meio, mas não saber exatamente qual é. criar expectativa é se afundar na própria invenção.

a gente se escapa
te falta coração
me sobra coração

grande parte das minhas feridas
não fui eu que causei
ainda assim rachaduras se abrem
e causam tremores
nas estradas de meus poros
encostaram no meu corpo
antes mesmo de eu saber
do que eu era feita
me arrancaram as ruas
me enfiaram em becos
e me ensinaram tudo ao contrário
eu nunca ouvi sobre a possibilidade
de apreciar meus devaneios

até agora

me impuseram o silêncio
e me disseram pra eu conter
meu turbilhão
criaram muros na minha boca
e no meio de minhas pernas
eu não tinha por onde escoar

até agora ▶

▶ comeram minhas madrugadas
rasgaram toda fluidez que ousei vestir
e plantaram nos meus olhos a palavra culpa
me obrigaram a construir esconderijos
que mais tarde fui chamando de lar
meus medos foram me calando a boca
um a um

até agora

me obrigaram a ter vergonha
da minha grandeza
e a me acostumar com as prisões

me querem quebrada
me querem ruína
me querem inacabada
me querem queimada
me querem lambendo sangue
e comemorando com flores nas mãos
me querem falta de querer
me querem tudo
menos mulher

no meu peito uma euforia ruim, os sapatos estão apertados, quase tudo me tira do sério, um incômodo me faz esfregar uma mão na outra, vontade de calar, vontade de gritar, gente demais em todo lugar, lanço os olhos sem saber o que está acontecendo

mais tarde
pós-obrigações
do cotidiano
deito na cama
encaro o teto
e entendo:

estou triste
tinha esquecido

mirmã,
quando te ouvi chorar
a vontade era pegar a sua dor
e esmagar feito rascunho de texto
que logo se joga fora e é esquecido
também tentei acessar a sua tristeza
pra impedir que ela dilatasse
por entre o sangue de forma tão voraz

no entanto
naquela quinta-feira
estar sentada na sua cama
te fazendo cafuné
era o suficiente

busquei a palavra certa
até encontrar a quietude
presença cura

ecoar

minha pele é marcada por palavras
que contam a história
de uma mulher que nasceu oceano
lava e vento

gero, queimo e contorno
todos os cantos
do mundo

tenho muitos nomes
estou em inconstante
transformação

nada me condensa
e pairo onde me inspiro
ultimamente o prazer
tem me convencido
de que ensina bem mais
que o pesar

ontem você dormiu mais cedo
e fiz a mesma coisa de todas as noites
coloquei as mãos no seu ombro
e fui elaborando o que te desejo
baixinho num carinho leve
pedi pros orixás te guardarem
e que todo e qualquer desmoronar
não fosse capaz de estagnar processos
ou se acumular com feridas passadas
a fim de confundir a cabeça e o presente
que o desespero não pertencesse
mais ao tangível
e que vazios não pudessem
mergulhar com frequência nos seus ciclos

se alguém me perguntar hoje
o que eu acho que é o amor
vou dizer que é te querer protegida
o mundo é bruto demais
pra abarcar seu peito
não é sobre pensar se você dá conta ou não
mas te desejar plena, completa, rainha

te olho de um jeito que te vejo
todo traço ou rastro seu me interessa
e mesmo quando estou dispersa
improvável é não te saber

te ouço de um jeito que te escuto
e até mesmo quando o silêncio te preenche
sem intervalos
suas trilhas me percorrem
desperto ao ouvir qualquer barulho seu

acho até meio contraditório
sua voz que pode derrubar cidades inteiras
me ergue e me reconstrói   ▶

▶ sentada em frente ao mar
da praia que não me recordo
o nome
mas me lembro do som
você me disse
quer ser minha família?
e te respondi
já somos

se alguém me perguntar hoje
o que eu acho que é o amor
vou dizer que é algo muito parecido
com a fé:

não andar só

sinto que somos um enredo
ainda sendo escrito
sobre um cuidado
que está sendo preparado
há muitas existências
e o amor há de reinar
e saber pronunciar
nossos nomes

essa ideia de que alguém vai aparecer e arrumar a bagunça que os outros deixaram. de que alguém vai aparecer e te fazer esquecer tudo que te fizeram. alguém vai aparecer e te dar novo sentido. alguém vai aparecer e te mostrar que tudo pode ser. alguém vai aparecer e completar seu processo de cura. alguém vai te mostrar o que ninguém nunca mostrou. alguém vai compor céus pra você. alguém vai aparecer e você nunca mais se lembrará dos hematomas. isso é só a gente querendo fugir. é mais uma vez depositar nossa plenitude em qualquer coisa que não nossas mãos.

ninguém aparece
não com essa função
de tapar buraco
recolher estilhaço
e não importa o quão rápido
você corra pra se esconder
e se alimentar da espera
você terá que encarar
seu reflexo no espelho
hora ou outra

até o sol explodir e transformar a terra em fagulhas
até os oceanos nos engolirem
e todos os vulcões acordarem
até meteoros racharem o chão
até as montanhas quebrarem em avalanches

eu vou escrever
com essas mãos que têm textura
de força da natureza

energia baixa
quando a bagunça se alastra
e todo mundo se afasta
não há espaço que baste
pra sustentar nossa
chuva torrencial

apesar de tudo
você está sentada do meu lado
na mesa do bar
e toda vez que te olho fundo no olho
o tempo morre em segundos
aí fica simples esquecer os arredores

peço agô e agradeço em silêncio mais uma vez
os ventos estão me soprando permanências

há conforto até na espera
quando já em casa estou exausta
mas escuto barulho de água caindo
no seu corpo
e sei que vai sair de lá
sentar no sofá
vem cá
em dias caóticos também cabe
sossego no peito
contradição de efeitos
suspeito
que pode haver imensidão
em momentos estreitos ▶

▶ entrelaço de ideias
e eu que sempre fugi do agora
mastigando as horas
sei que só piora
estão estridentes
os barulhos lá fora
preciso ir embora
estou indo morar
dentro de mim

contigo

sei que o amor não tem esse objetivo
mas ontem seu amor me salvou
e notei que afetos são retas e metas
que atingem de forma direta
a raiz de quem sabe que a cura
não se firma em mãos alheias

só ama quem sabe
se afundar em si
e retornar
sem afogar
outras mãos

minha composição
se mistura com diamantes

ao contrário
do que pensam
não estilhaço
tão facilmente

e ainda que eu possa quebrar
continuo reluzindo

- inspirado em esperanza spalding // black gold

se interligar com a metáfora
de quem sente
e ter a garra intrigada e urgente
para se aproximar da raridade
de saber nutrir amores
num mundo findável

nem mesmo eu
conheço todas
as suas histórias
e te vejo encostada
no vidro do carro
cantando baixinho
uma música dos anos setenta
e volto a acreditar
que mulheres
que enfrentaram
incêndios demais
também podem
sentir paz

se eu pudesse mudava pra uma cidade
onde ninguém soubesse o meu nome
e eu não soubesse o nome de ninguém
seria mais uma numa multidão
de afetos falhos e recomeços
tentando não me maltratar
com tudo que não fui
tentando continuar de qualquer jeito
escrevendo diariamente cartas de amor
pro meu endereço
me alinhando em
novos eixos

– dispersa

ela abriu meus olhos com a ponta dos dedos
pra que eu pudesse
admirar
novamente
tudo o que é simples

hoje eu queria ter acordado com a paz daqueles dias que não vieram, sentir o sangue correndo cheio de sonhos histéricos, parar de sentir saudade de quando descobri aqueles livros e essa cidade enorme e me perdia enquanto o ponteiro do relógio marcava horários nos quais ninguém sentia vontade de se perder, hoje eu queria me contagiar por qualquer excesso leve ou pesado, queria dar o fora daqui, dar o fora de mim, queria que o resto do mundo me inspirasse em vez de me ver esmurrando as teclas tentando fazer sair alguma coisa, pro bem e pro mal e pra tudo que me transpassa, hoje eu queria não esbarrar nas pessoas enquanto caminho a passos tortos, queria escapar dessa sensação de acabar não sabendo de porra nenhuma no final

hoje eu queria mais

bem mais

regra de sobrevivência

bagunce, suma
desista, chore
atrase, grite
pire, beba
enlouqueça do jeito
que preferir
pra aguentar isso aqui
a gente tem que sair da lucidez
de vez em quando

as roupas começam a cheirar adeus
a despedida cola nas pálpebras
os espaços vão ficando
muito apertados
as palavras decoram o caminho
da boca do estômago
o relógio se dilui
o quase se alastra
as promessas fingem
que nunca existiram
o silêncio vira cais

quem disse que partir
não faz alcançar
algo mais confortável?

observar com atenção
a reação de quem escuta
suas histórias

quem teme a sua vivência
quem só te vê como fúria
quem transforma em chumbo os seus anos
quem só se interessa pelas vitórias
sem considerar trajetórias
ou te dá ouvidos pontuais, superficiais
melhor manter distante do seu palpável
melhor manter distante do seu real
ali é melhor
não ressoar

estou imersa
no teu sol
há tantas vidas
que já não há diferença
entre nós e o universo

você se desdobra
no centro e na beira
de mim

por destino ou escolha
desperto sempre entrelaçada
nos seus raios

releio poemas repetidas vezes numa tentativa de instaurar algum tipo de conforto no meu peito-estrada. ontem mesmo meus olhos visitaram um texto que eu não lia havia sete anos e eu não cabia mais ali porque não desejo mais ter olhos azuis e hoje elogio meus traços e meu rosto como nunca antes. os muros da cidade que já me mostraram respostas agora gritam sobre torturas, desgraças e coisas cinzas demais. sinto saudade do sol das seis da tarde que fazia na minha cidade materna, quarenta e dois graus de amor quente e entardecer fluido, de encher a cara com meus amigos do colégio enquanto falávamos sobre trivialidades e de ouvir música ruim sem critério ou julgamentos. o tempo não existe, mas de alguma forma ele nos sonda sem pausas ou rodeios. fui engolida sem permissão, não consegui perdoar todos que me machucaram – e me perdoo por isso – e o vestido que ele arrancou na tentativa de estupro na escada da lapa segue rasgado numa lixeira qualquer. toda vez que passo perto dos arcos sinto vontade de chorar, mas não choro, só choro escrevendo esse texto. não consigo usar camisetas de ▶

▶ gola alta porque seus dedos seguem marcados no meu pescoço e ainda há pedaços de unhas na minha pele mesmo depois dos banhos de mar, dos banhos de erva, dos banhos de cachoeira. às vezes não tem nada a ver com fé e olha que a fé que me abarca poderia lotar continentes e fazer ter pé de dança até o mais descrente. eu sou uma mulher partida, uma mulher que parte, uma mulher dividida, uma mulher que divide e sobrou um décimo de mim depois de apanhar mais de uma vez. se falo em primeira pessoa é porque falo literalmente, como é que sigo aberta depois de tanto? como confiar nas coisas que se fazem crescer dentro do peito? e eu não sou fria, ofereço meus equívocos e contradições com o maior amor do mundo e, às vezes, num impulso, desconto em quem ainda vê em mim algo não calejado. se essas ruas gritassem histórias sobre você, o que elas diriam? se as luzes da cidade apagassem, quanto sobraria na garganta? sobrou um décimo de mim e na matemática que não acesso isso significa precipitação. tenho pressa porque se eu parar vão duvidar de mim novamente.

enquanto me pede
pra aguentar firme
sem me oferecer ajuda
você se lembra que
ontem mesmo arranquei
pedaço por pedaço meu
pra preencher
pedaço por pedaço teu?

esperar algo em troca
não tem nada a ver com isso
é que só me sobrou um buraco
se completando sozinho
por falta de opção

nem mesmo se eu puxasse assunto
com as sessenta pessoas que atravessaram
a faixa de pedestre da avenida da estação
nesse minuto
elas compreenderiam
o tamanho da saudade
que preenche a falta
nas minhas mãos

queria desabafar, parar todo mundo
pra dizer que eu te vejo sem tropeços
retinas atentas pra admirar
suas vivências
não, parar todo mundo pra saber
se alguém já sentiu isso dessa forma
que não tem forma alguma
porque imensidão não é matéria
não é medida
é desprendida
da terra

e estar distante de você
me desmovimenta
muda a minha frequência
fico emanando uma energia tão lenta
que o externo escancara o coração
até o trem circulou com velocidade reduzida
hoje
os estabelecimentos estavam mais vazios
que o normal
e a música na rádio do calçadão
não deu vontade de dançar ▶

▶ aquele vento que bateu no meu corpo
na hora de voltar pra casa
primeiro passou por você
não se explica
que nossos encontros
são tanto
que tomam
o caminho
do mar
e cruzam
asfaltos

(se te perpassa
vai me transpassar)

foi bonito
o barulho da brisa
mas só eu ouvi

aí um muro me disse
já sabia que ela existia
é fácil o porquê de não gostar
de surpresas
quem tem despedidas pregadas
na pele
não simpatiza com a espera
antecipei sua vinda quando enfeitei
mel e flores amarelas pra oxum
nem te pedi, só disse
mainha, por favor
que não me levem mais
embora de mim
e que seja aconchego
o que virá ▶

▶ sinceramente
eu não posso te devolver
aquilo que lota
esses espaços que tomaram
conta do seu peito
rachaduras que a vida trouxe
que ainda te tremem
mas posso resgatar contigo
o que for possível
pra se recontar
podemos ocupá-los
com xirês em yorubá

(oyá tocou a terra, ela tem alto valor
que a sua espada não nos atinja
nem os raios cortem a nossa casa)

há quem nos olhe
há quem saiba dos caminhos
que você percorreu
e se ainda sentir gosto de dor
dentro da boca
que espadas não te atinjam mais
nem os raios cortem a sua casa ▶

▶ fez da voz seu escudo
seu patuá é sua história
sorte é palavra equivocada
quando se vê por onde seus pés
já pisaram
quando se escuta o que seus ouvidos
guardaram
você nasceu baobá e renasceu iroko
seu tempo é outro
e suas folhas carregam os segredos
de quem se refez

por isso te enxergo templo
não só te amo
te reverencio
te cultuo
te respeito
e vou te esvaziar
dos acúmulos
quando o corpo pesar
e vou te celebrar
acima de tudo
vou te celebrar

não é promessa
é cura

intuições

são suas ancestrais
soprando em seus ouvidos
segredos de sobrevivência

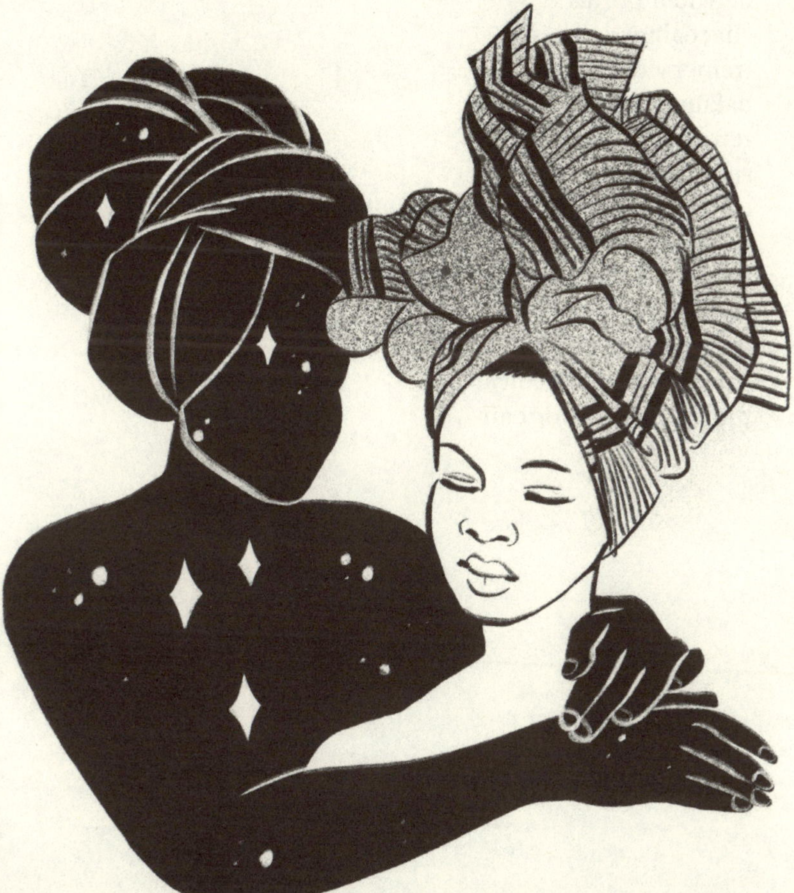

você me diz que é preciso
se entregar visceralmente
eu te digo que é preciso
derrubar portas
chacoalhar árvores
tremer vidraças
balançar folhas
refrescar contornos
soprar flores
conhecer sozinha a própria potência
de destruição e de amor
se aprofundar em seus excessos
saber bem de si
oferecer o mais bonito
pra optar por onde ficar
pra optar por onde cair

vez em quando
desapareço
não deixo rastro
dica ou vestígio
do meu paradeiro

recompensa alguma virá
a quem insistir
em me olhar nos olhos
se tiver notícias de mim
guarde-as bem pra si
me informo melhor
quando me encaro

aviso fácil:
não quero ser encontrada

estou submersa
confio em mim
hoje vou me percorrer
estreitar os laços com
meus desconfortos
inundar meus incêndios
ordenar meus processos

chega mesmo a ser bonito
eu valho meu risco

diluí meus pedaços em vento
assim tudo que sopra me carrega
contorno e confundo definições
quando a brisa bate você não sabe
se é o que restou de mim ou
é meu inteiro te atravessando

e nunca vai saber

deixa de balançar minha estrutura
o coração perde a razão
e magoa todos os ossos
desse ofício incendiado chamado vida
vá com cautela, a dor
se esparrama furiosa
em cada fiapo de pensamento
para que tanta querência
se as mãos lacrimosas
não encontram o caminho
a larga rua devorada
de seu coração-criança
para que fugir
se teu norte é meu sul
e não seremos mais nada
que duas retas paralelas
caminhando eternamente juntas
e infinitamente separadas

eu sou filha
de territórios distantes
e busco meu mapa
em cartas engavetadas
para me cruzar
me descobrir

– poema de minha mãe, Luzia Helena, escrito em 1985

outubro

inevitável pensar
se fosse um pouco antes
como seria?
trocar sem medo
brisa leve desde cedo
ser imensa mesmo
no efêmero
várias cicatrizes
a menos

se puder
descanse
nem que sejam cinco minutos
voltados para os cantos de sua voz
diminua a velocidade
tome um banho quente
coloque um pijama velho e confortável
esqueça das lutas por hoje
sussurre calma nas urgências
deixar pra lá também é resistir
estique os pés, descerre os punhos
observe a noite até o dentro constelar
cuide da pele que te envolve

amanhã o sol continuará sendo sol
as casas e os prédios estarão
no mesmo lugar

agora tudo voltará
a ser como era antes
menos você

faz tanto tempo que não temos
falado sobre o que realmente importa
você ainda se lembra o que é isso

qual foi a última vez que seu
coração bateu mais rápido
você tem conseguido se admirar
quando olha no espelho
vamos ver o nascer do sol
amanhã
pra onde você quer fugir
hoje
qual a música que nunca
sai da sua cabeça
o que te arrepia
qual seu cheiro favorito
tem nascido flores
em você
como anda a sua fé
você quer um abraço daqueles
que fazem parar de chover
ou daqueles que nos fazem
desaguar
qual a sua maior saudade
você tem conversado com seus ancestrais
vamos dançar tim maia no meio da rua
você prefere vinho ou cerveja
o frio ou o sol que invade tudo
você quer companhia neste domingo
quer que eu divida os meus risos com você
quer que eu te conte uma história banal
quer que eu escute sobre seus medos
você ainda se lembra das coisas bonitas
que moram no seu peito?

vem cá, demore não

as palavras injustas que você me disse
continuam tomando formas
continuam caminhando
pelas minhas beiradas
vira e mexe
eu te leio
na minha pele

eu sinto e vejo
a minha cura
é processo lento
e mesmo nas noites
em que eu não a alcanço
alguém aparece pra me lembrar
que já não há tempo para quebras
e sem jeito me levanto
ainda com as pernas fracas
e os olhos inchados
antes tivesse ficado
um pouco mais no chão
e aprendido sobre o seu gosto
e decorado o caminho de volta
da ponta do precipício
impuseram a pressa
no meu cicatrizar

a minha cura
é abstrata e confusa
não tem linearidade
se ontem sorri levezas com os olhos
hoje a memória me engole e me desestrutura
olheiras provam que eu
estou sempre contendo enchentes
me adaptando novamente ao silêncio
depois de tanto gritar
não é que eu fique sem assunto
é que às vezes é melhor não dizer nada
deslizando entre esquecimentos
seleciono as injustiças
eu prefiro saber
o que perdi

a minha cura
não é de todo estancada
ainda sangro
ainda perco ▶

▶ ainda estou construindo
uma possível saída
por isso a poesia
o verso de mar bravo
placas para não mergulhar
não hoje
é esse o perigo
em ser de verdade:
distanciamento

a minha cura
é a paciência com a minha solidão
a insistência com as brechas
ser esmagada sem previsão
mas ser cobrada pelo cuidado
que não recebo
eu percebo
meus significados não se dão facilmente
e me exigem explicações que se dissipam
a culpa não é minha se estamos
viciadas em dicionários, frases prontas
soluções instantâneas e teorias
eu sou algo novo todos os dias
mesmo partindo do antigo

eu sinto e vejo
a minha cura
que por vezes enlouquece
e me concentro não em resistir
mas em puxar o ar e dar abertura
às minhas contradições
aos meus próprios presságios
eu já sei ser sol no escuro
às vezes piso em meu próprio abrigo
fujo e deixo notícias somente comigo
e sem adornos nos estilhaços
continuo me curando
continuo viva

lá no terreiro a gente aprende
que os mais velhos sabem das dores e dos segredos
que são eles que ouvem as plantas
e sabem o valor das palavras
então a gente fica ouvindo
os conselhos e as histórias
não precisa perguntar muito
o que tiver que saber vai saber
se afoba não
preocupa não

lá no terreiro a gente aprende
que nada pode matar nossas raízes
que reza nunca é demais
que deus é respeito e afeto
que deus sorri quando alguém diz obrigada
que deus mora no colo da nossa mãe de santo
que deus é o aprendizado que vem de nosso pai de santo
mas que muita gente acaba chamando deus de outras coisas
e confundindo deus até com genocídio

lá no terreiro a gente aprende
que deus é ela, é ele, eles e elas
que nossos deuses gostam de vir pra terra
e dançar e comer e ouvir o som dos tambores
aprende que lá da áfrica eles nos escutam
que a mágica da vida mora na música e no batuque
e nos pés no chão que sentem a energia
do amor

lá no terreiro a gente pede bença
bate cabeça na terra, beija a mão
e percebe que riso de criança
leva embora qualquer maldade
aprende anos em uma tarde
carrega patuá, canta em yorubá
e oferece flores, frutas e doces
e uma porção de coisas mais ▶

▶ para aqueles que cuidam de nós
lá tudo que a gente faz é uma homenagem
aos que se foram
aos que se erguem agora
e aos que estão por vir
e quem tem fé tem tudo que precisa
pra passar pela vida

lá no terreiro a gente aprende
que não há quem ande sozinho
que existe uma multidão ancestral
no nosso caminho
que deus tem pele retinta e cabelo crespo
e que tudo bem se tem outro deus que não tem
que cada um pode acreditar no que quiser
desde que não queira destruir o outro
impor ao outro verdade absoluta
ou acabar com toda a cultura de um povo
ou fazer eu me esquecer que deus pode parecer comigo
pode ter meu nariz largo e minha boca grande
os cachos enfeitando a cabeça
por que não?

lá a gente aprende que o vento que bate no rosto
o mar que nos ensina sobre nosso real tamanho
as árvores, a chuva, a terra, os relâmpagos
tudo isso é deus
então aprendemos a cuidar
do que nos cerca
e de quem nos cerca

e ainda assim tem gente queimando a gente
querendo nos dizimar
inventando bobagem sobre nossos rituais
por que é que não conhece mais de perto
se tudo isso que a gente aprende lá
é exatamente o que falta
nessa gente
e no mundo

hoje escutei do ódio ao amor
e guardei somente o que me condiz
eu sou uma mulher que ainda bota fé
que coração é maré alta
melhor saber quem sou do que
tentar compreender o mundo
assim vou matando as vozes alheias
uma a uma
e descobrindo sozinha
minha condição

tudo bem ser imensidão

as mulheres que correm em minhas veias
me acordaram essa madrugada
para me avisar que grandioso não é o que me atravessa
grandioso é eu ainda permitir que coisas belas
me devolvam o chão

filha,
deite aqui e me escute. falei com o tempo e pedi pra ele parar. nesse momento até mesmo ampulhetas travaram areias. eu estou aqui. eu estou aqui. eu estou aqui. estou levando seus temores e mantendo a paciência. chegue antes para observar os terrenos, busque aliadas e quando te cegarem me encontre no mistério do entardecer. te darei água pra beber nos seus desertos, te ventarei nos mormaços mais profundos e te acenderei em fogo que poderá aquecer ou espalhar cinzas por onde passar. meça seus poderes. sabedoria é justamente não ter todas as respostas, aprenda. eu resolvo, eu dissolvo, amasso entre as mãos e faço pó da matéria mais densa. me peça, mas seja inteligente e certeira. me agradeça por estar inteira. pedreiras desmoronam e você ilesa. poeiras formam nuvens e você defesa. você pode até perder, mas nunca sem guerrear – e perdas são ganhos despretensiosos. escrevi seu nome no ar. sua prece é voar.

ouço seu nome
molho de imediato
pulso acelera
nuca e lábios
se arrepiam
imagino sua língua
entre as coxas
eu movendo meus dedos
em seu estado líquido
você apertando
as minhas costas
respondo intuitiva
a seus toques
me revirando
me remexendo
lençol caindo
da cama
deixa pra lá
aqui é mais importante
paixão prolixa
palavras se soltam
pra conduzir e instigar
reverberar

contigo até suor
vira água doce

sinto que posso rachar o universo ao meio
mas é na doçura que me encontro mais
ferro, vento e água dançando em mim
não tenho sorte, tenho raiz

mereço calmaria, eu sei
eu quero alma
o mundo é mundo demais
e eu me interesso pelos detalhes
quero saber das histórias por trás das olheiras
quero saber das vivências guardadas em cartas
oralidades, bagagens, sonhos e acasos
eu gosto mais do fim do dia do que do começo
porque é no fim que se pode saber mais
sobre o que quase não se fala
quando cansada eu chego em casa
tiro os sapatos, tiro a roupa, me jogo na cama
e ainda com cheiro e resquício da rua
abro uma cerveja e conto
que eu me interesso pelos detalhes
o que faz descer na estação errada
quais os dias favoritos que borbulham
e fazem o riso fácil aparecer
quando foi que o buraco virou cicatriz
como eu posso contribuir na sua luta
somos lama, somos terra
somos terreiro, somos batuque
somos mais agora do que ontem
somos aquilo que nos traz luz
somos abraço apertado
beijo longo e cuidado
e que eu me lembre
que somos também a escolha
de onde pisaremos
com o peito aberto
e os pés descalços

quero
seus
demônios
dançando
junto
com
os meus

evita-se falar sobre isso
mas existem vários tipos de solidão
a fria e silenciosa
que esvazia
a confortável
que preenche
a que põe pedras na garganta
rua sem saída
a dura mas necessária
que reconstrói
e as que eu ainda não sei nomear
e chegam desavisadamente
geralmente vêm de fora
alguém coloca nas suas mãos
e você fica sem saber
o que fazer com isso
essas são as piores
essas silenciam

quando andar aos avessos
raspando os dentes ansiosos
transparecendo excessos
mente a mil por hora
procure a poesia

e quando a poeira baixar
procure as poetas
agradeça
fortaleça

não deu tempo de te contar
sobre eu ter me sentido em casa na bahia
risada alta nos bares dos arredores do rio vermelho
mares convidativos com cara de porto seguro
sobre eu ter sentado ao lado da ayọ̀bámi adébáyọ̀
e falado sobre vivências e construções
sobre eu ter beijado o amor da minha vida
no show da lauryn hill
sobre eu agora gostar de festas surpresa
e saber mais sobre o poder curativo das plantas
não deu tempo de você notar que a paixão me revisitou
que eu voltei a cantar
que eu quero gravar um disco
de samba
que meu cabelo está selvagem e livre
que eu canto enquanto cozinho
que eu conto os dias pro verão chegar
que eu espero que você também
volte

o cheiro do corpo dela
se mistura com o cheiro dos bares
e das casas e das garrafas e das encruzas
e das estações e dos apartamentos
e das festas e dos copos e das taças
e dos carnavais e das maresias
e das viagens e dos tumultos e das marchas
e das revoluções e das praças e das músicas
e dos temporais e dos encontros e dos gostos
e das poesias e dos beijos e dos tambores

os lugares mandaram avisar
que ela não é apenas passageira
é protagonista

minha herança de laços desfeitos
não vai nos atingir
vou te amar de guarda baixa
escudos e espadas no chão

dessa vez não há guerra

vou manter o peito escancarado
vou consolidar plurais
e parar de calcular estratégias
de isolamento
preciso desligar
espairecer
desafogar

reconhecerei a palavra amor
sem estranhamentos
e seremos encontro

para o meu altar particular

eu me desculpo
pela marca nos pulsos
eu me desculpo
pelos espelhos quebrados
eu me desculpo
pelos desejos infundados
eu me desculpo
pela falta de amor por mim
eu me desculpo
pelo coração rasgado
eu me desculpo
pelas armadilhas que criei
eu me desculpo
por ter me visto
e não me identificado

eu me desculpo

agora peço a meu corpo
que me mostre como seguir
daqui pra frente

sinto que
estou pronta

você faz renascer em mim vozes que enfiei debaixo dos cobertores e abafei para que não trovejassem antes de dormir. nem todas precisavam ter sido perdidas de propósito, por isso ao recuperá-las tenho que ter cautela para que não haja enganos. aquilo que se quis perder não respeita mudanças de ideia. eu também quis ter controle sobre tudo, até mesmo sobre os relâmpagos, ser minha própria previsão do tempo para não desaguar no inusitado. percebi que quem se busca sem freios acaba se perdendo mais que os outros porque é nas distrações que está o que não tem pressa pra ser bonito. talvez nem todos os dias demos conta de nos encontrarmos com nós mesmas e talvez seja isso que a minha madrinha tenha tentado me contar: saber quem se é, mas se esquecer de vez em quando para se permitir sentir o mundo. percebi que você fez isso naquele dia do banho de chuva e foi tão honesto que a sua dor escolheu se despejar pelas calçadas porque não sentiu que te pertencia. pelo menos naquele instante. não há cidade grande que possa te fazer menor e eu gosto tanto de te aprender. ainda que a memória falhe insisto em guardar sua dança nos cômodos de casa, sua voz lendo os poemas das quatro da manhã e seus olhos que me lembram que posso ser amada dentro de um calendário desfeito e refeito só pra nós. as horas se jogam nas nossas mãos para que não seja cedo nem tarde nosso existir. ainda que a memória fale, te alcanço em letras emolduradas, riso alto que mostra os dentes, roupas esquecidas no sofá e músicas que vão e voltam pelas suas ruas. os lugares que você passa permanecem cantando. fico sem eira nem beira e quando sugerem que eu troque a palavra sol por só me pergunto se é mesmo necessário, se dessa vez não há dúvidas. você prolonga o que ilumina, então volto a ser difusa pra misturar a minha luz com a sua e revivo vozes que mantive apagadas, mas que agora se espalham e acendem espelhos sem cegar. reflexo bom do que virá.

nego, é as quatro da manhã que a nostalgia invade
os anos voaram e a selva de pedra não nos engoliu
naquele sofá do hostel te vi tocando violão pela primeira vez

você canta, preta?
bora fazer um som?

flores abrem e fecham e caem e nós somos o que fica
obrigada por acordar a minha voz

esse teu eterno vício pelo depois
ainda vai me enlouquecer

piso forte no chão, dou passos duros, piso tão fundo quanto meus olhos escuros, se piso na terra deixo sujar, se piso no vidro retiro os cacos, pode deixar, se piso na água fria não recuo, se piso no concreto sinto falta do indefinido, percorro estações vielas frestas curvas, às vezes com rumo, piso forte no chão, faço do meu trajeto coração, não costumo regredir, já fui embora sem retorno, já gritei pelas ruas querendo um mapa pra voltar, é bom que eu tropece pra conhecer os buracos, é bom que eu me perca pra aprender a usar bússolas, piso forte, não ligo, piso fundo, de um jeito ou de outro eu consigo, piso forte, cambaleio, piso firme, cambaleio, piso fundo, é foda, mas eu vou, eu vou, piso forte, piso fundo, qualquer hora eu atravesso o mundo.

qual foi a última vez que sua respiração
correu sem ofegar
e quando disparou
era alegria genuína
ou acúmulo de abismos?

se sou poeira de estrela
o que me ancora é pó
ou brilho?

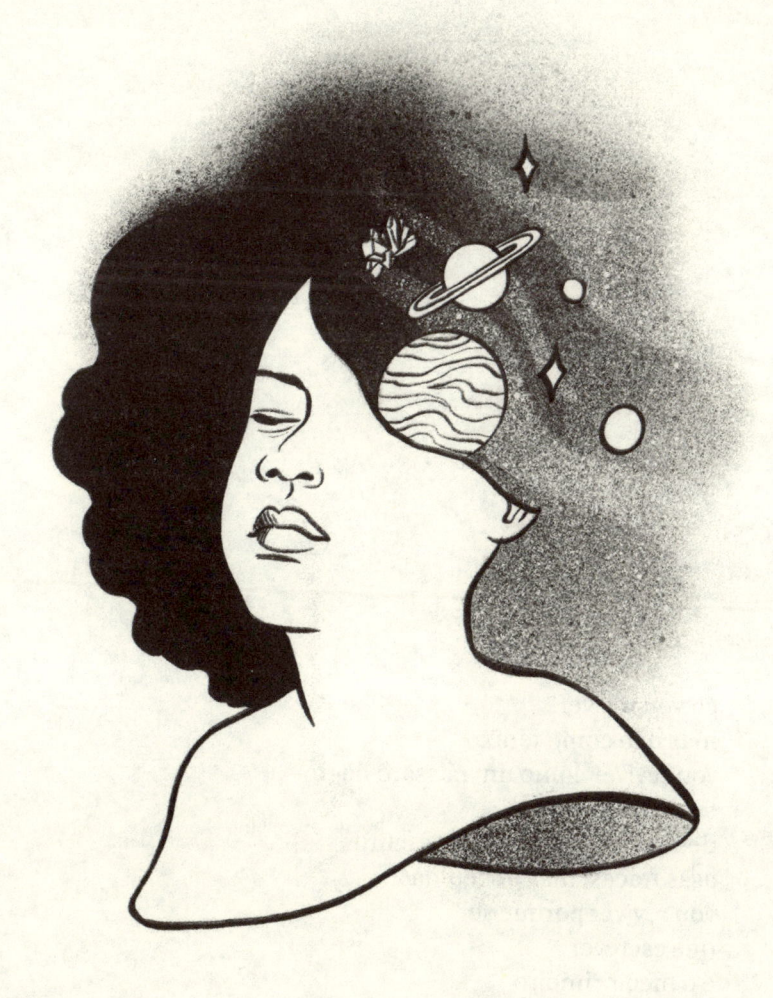

eu vou reviver,
mas não como fênix
vou reviver como um pássaro negro
terno e veloz
de olhos e dias também escuros
asas fracas, mas intrépidas
vou reviver porque sei
que escrever
é o meu primeiro
e jamais será
o último
ato

pretinha
continuamos tendo muito em comum
existir de maneira mínima não nos interessa
nem nos basta
onde vamos manter
nossas partes imensas
se somos mulheres densas

pretinha
cansadas até mesmo de dar o nosso melhor
sentimos na boca do estômago a saudade do comum
como será ter um sono manso sem pensar
na estratégia de guerra
dos amanhãs

pretinha
o problema não é você continuar acreditando
é que nem todas as mãos podem abrigar
o seu poder ancestral

pretinha
me procure quando se perder
e quando se encontrar
perdidas podemos esbarrar os nossos sonhos
inteiras podemos nos demorar
e traçar planos
para preencher
outras de nós

primeiro considerei fardo
agora acho que é algo como sorte
tudo em mim escorre, se espalha
me derramo como enchente
desconheço metades
e ofereço travessia
pra quem se vê
no mesmo ritmo
que eu

sou a brecha
de uma nova narrativa
se chegar de peito aberto
pode apostar que te preencho
do jeito mais bonito possível

sou tão minha pra você achar
que estou nas suas mãos
sou eu que escolho onde vou pisar
pra se perder em mim
tem que primeiro
se encontrar

antes deságue
depois compreenda
ainda existe leveza em você
seus poros vão tremer por outras pessoas
seu riso vai ser confortável
como um sábado de sol
e suas mãos vão carregar percursos
de uma mulher de coração turbulento
que leva jeito pra amar suavemente

definições

sabe o que é saudade
saudade é não conseguir mudar nada
absolutamente nada

quanto mais anos eu desejo viver
contabilizo mais anos pensando em meu pai
que está e não está aqui
e eu nem sei pra onde vou
ou vamos
se céu e inferno são a mesma coisa que terra
o que virá depois?
será que te encontro?
será que te conto
como é estúpida essa dor
que se forma
diante da morte
de alguém que já parecia
ter morrido em vida
será que te encontro?
será que te pergunto
o motivo dos rombos
no coração de minha mãe?
será que adianta? ▶

▶ porque é assim
céu é céu
dor é dor
saudade é saudade
além disso não existe

só que meu pai
sou eu também
em algum traço perdido em casa
e encontrado em minha pele
no meu rosto e nos meus cabelos
nos meus álbuns de música
na minha prateleira de livros
nas marcas amareladas nos olhos
nos dedos dos pés
no crescer sem me resgatar

e o que eu quis quando você estava vivo era que você fosse qualquer outra coisa que pudesse ser mais próxima de mim

que desastre
derrubo o que estou bebendo
nos livros que leio
deixo a geladeira congelar
perco papéis importantes
o restinho de brasa
faz um furinho na blusa
vigésima cópia da chave
me distraio
quase não encontro
o que guardo

cuido das pessoas
esqueço das coisas

2001

depois que você foi embora eu desaprendi a guardar surpresa. fico achando que não vai dar tempo, que é melhor falar logo. conto o que eu tô planejando, mando foto, mas não guardo. não guardo nada comigo e escrevo, escrevo muito. fico falando tudo que sinto o tempo todo e não consigo pensar que amanhã melhora. a última vez que pensei isso você tava de cama e não levantou mais. não sei como você teve forças pra quase fugir, se arrastar no chão pra eu não te ver. eu nem entendia o que era aquilo, eu só peguei minha mochilinha laranja e viajei pra te ver. depois que você foi embora eu não tenho mais medo do pior. não tenho medo de ver o pior. não me afasto das pessoas que doem, não fico de boca aberta quando se abrem. quando me dizem que talvez eu não aguente ouvir, sei que dou conta. abri aquele álbum de fotografia duas vezes, uma quando revelou e outra vez quando senti saudade (chorei e fechei na terceira foto). quando me contaram, quatro dias depois da visita, eu parei de acreditar em deus. nada existia, nem deus, nem outro dia, só aquele buraco fundo onde eu não te via e você não me via. deus era outra coisa, deus não mantinha. deus era tudo que não fomos. somos muito parecidos, acho. acho porque nunca convivemos direito. eu era pequena e você com seus um e oitenta, noventa e poucos, menor do que eu.

me refiz solo sagrado
enraizei naquilo que é atemporal

comigo sou eterna

algo se repete
pra provar que
você nunca é a mesma
algo se repete
para que você compreenda
que você nunca é a mesma
pare de chamar por suas versões
que estão no antes
elas morreram
pra te parir maior
algo se repete
se repete
se repete
e ainda bem
que você nunca
é a mesma

gênesis

ela falava de horóscopo
como quem mexia na posição dos astros
com as próprias mãos
sem dúvidas as estrelas mudam
de lugar toda vez que ela se ama
não à toa, constelações a cercam
pode lhe faltar tudo
menos sol

alumia, meu bem

ela me ensinou que amuleto
é nosso próprio corpo revestido
de calor e brasa
só aquilo que arde
pode nos pulsar
impulsionar

ela redefiniu
o início e o fim dos universos
reescreveu com voz feminina
o predeterminado
memorizou o gosto da liberdade
e descreveu pra todas que encontrou
e me recordou da importância
de observar as árvores
ainda que nas calçadas
ainda que no concreto
ainda que no apesar

ela desobedeceu o desalento
moeu e derrotou o tempo
e preferiu sustentar a leveza
que tentar calcular o desmedido

te quero jogada na rede de casa
olheiras de quem faz um corre sincero
coração em festa que fica
em estado constante de samba
seus dedos nas cordas do violão
depois enrolando seus cabelos
que parecem o céu da noite
na chapada

te quero copinho de cerveja gelado
caderninho de letras e poesias lotado
sono sem fúria ou interrupção
sonhos que não se fecham
nem se calam

que seja tangível o seu despertar
para tudo que te espera
e que você se dilua
em corredeiras
que apontam para
o amor

tenha pressa
mas se afobe não
seu prosperar
já é certo

venha logo
topar seu destino
que te aguarda ansioso
e sem descuidos

o transbordar é bonito
quando se escreve
mas fere quando escorre

eu não me caibo

quanta coisa no chão
foi a primeira coisa que você me disse
ao entrar na minha casa nova
ainda com caixas empilhadas na sala
menos meus pés
pensei
e ali eu já soube que você era dessas pessoas
que só andam olhando pra baixo
e só se concentram na própria loucura
incapaz de me perguntar
se eu estava bem
você andava curvada
e eu segurava seus ombros
não me sobravam mãos
pra cuidar de mim

foram duzentos dias
sem me ver

você veio rápido demais
e era tudo tão denso que chegava
a não parecer frágil
somos o que damos, bonita
e de nada adiantava
te salvar
e me paralisar

só abaixo a cabeça
quando preciso pegar impulso
relembrar raiz
e alçar voo

parti
pois sou
ininterrupta

na terapia digo que preciso saber o que mereço
e ela me pergunta o que isso significa
vi num filme que acabamos aceitando
aquilo que obtemos aos montes
ainda que pouco
embarcamos em mínimos
sustentamos equívocos
e as sobras se embaralham
com sutilezas

a terapeuta me diz que não se trata
exatamente de merecer
mas de querer
querer cumplicidade
querer gosto de trocas inteiras
deixar chover o novo

é preciso também saber o que se quer
além de fixar o que não se aceita
de modo algum

respondo que quero honestidade
continuidade, mãos que se dão firmes
em qualquer lugar
e como sei que ainda posso despencar
que não estou ilesa embora tenha
crescido bastante nos últimos anos
mais do que prevenir o naufrágio
eu quero saber nadar
eu quero saber voltar
eu quero flutuar
até meu ponto de partida
e me achar ali
à minha espera

meu bem
te provar inteira causa no meu peito
certo tipo de direção
abro minhas pernas de antemão
e as biografias do meu corpo se derramam
na sua boca que declara:
aqui e agora
me entrego
até a raiz

te mordo leve
vontade pede
dilata a pele
vira redemoinho
e sopra no ouvido
palavras com gosto
daquilo que escorre
em ritmo alterado
acelerado
exagerado
se dentro faz lua cheia
deixa inundar

deve ser isso
o mais próximo
do infinito

eu quero deitar encolhida no chão
e ficar lá por horas
chorando e me libertando
de tudo que é tóxico
eu sei que em algum momento
eu vou me salvar
mas até chegar lá
talvez eu precise de ajuda

essa carne que tanto protege
também será protegida?

elza soares diz
que o fim do mundo é todo dia, baby
voltamos da guerra repetidas vezes
precisamos cuidar umas das outras
é o único jeito

de que valerão meus escritos
se outras não falarem
não se contarem
não dançarem
não se manifestarem
não protestarem
não se erguerem

de que valerão meus escritos
se eu me esquecer de direcioná-los
para aquelas que engolem silêncios em seco
que escondidas oram ao impossível
que no ônibus às cinco da manhã
fecham os olhos e sonham rumos
que focam em tapar os vergões
que nunca soltaram do peito os leões
que estão habituadas a vestir
inseguranças

eu que agora tenho a voz audível
não falarei por ninguém
convidarei para virem ao meu lado
para não deixarem se apagar
ou desencorajar

de que valerão os meus escritos
se eu não convocá-las
se eu ignorar da onde vim
se eu parar em mim

descubra aquilo que te move
o que te traz de volta à vida
e se atire, se jogue, se lance
no instinto de fazer durar

semana passada enfiei na cabeça
que eu seria mais celebrativa
e fiz uma única promessa:

jamais desperdiçar
segundos sem amor

ano passado vi um vídeo da poeta tatiana nascimento e senti que devia proteger minhas raízes e ser mais gentil com meu crescimento. agradeço às poetas negras que me tiram do lugar comum e me botam pra me absorver e conceber universos. há tanta gente seguindo em frente apesar da neblina que nos devora que não posso evitar esse amor e essa fé que me escapam e se dividem através de minhas palavras. eu mesma me questionei muitas vezes sobre essa insistência pungente que é tão necessária, tão infinita, tão legítima. aí guardei na memória a minha grandeza e me agarrei no celebrar, voltei pro mar, renasci para yansã, me vi em ogum, fui zelada por xangô, virei afilhada de oxum, aprendi profundamente sobre desencontros e proximidades, soprei estrelas em chuvas de granizo e respeitei as minhas pedras, o meu silêncio e o meu bem querer. nesse ano aprendi com a poeta key ballah que o ar fresco queima a tristeza, e desde que virei meu ciclo – no dia 19 de janeiro – me sinto viva. leiam mulheres negras. e contem suas histórias, porque toda história importa. foram e ainda são tantos desabafos honestos sobre meu primeiro livro ter sido essencial e curativo, e esses sentimentos partilhados por tantxs mantêm aqui dentro a salvo. agradeço às mais de quarenta mil pessoas que o leram. agradeço à minha mãe luzia, à minha vó eunice, à minha tia laura, à minha irmã mayra que são mulheres que regem a si mesmas desde a minha infância. me espelhei. agradeço à minha irmã beatriz que me oferece suas mãos pra me abrigar da desordem natural das coisas. juntas estamos tentando compreender cuidados. agradeço à mc carol dall farra por me mostrar a forma exata da cumplicidade e da leveza do amor. agradeço à poeta gênesis por compreender o que brilha e o que queima em nós. agradeço à poeta aline anaya por enxergarmos juntas que nossas almas são ouro que reluz. agradeço à atriz e poeta tula pilar por abrir estradas e por ser nossa sagrada ancestral no aiyê e no orum. agradeço às minhas alunas da odara que ao ler isso vão sorrir e relembrar nossos passos largos lá na escola. agradeço à mulher que fui e também à mulher que estou me tornando por nos amarmos em frequência imperfeita porém duradoura. eu estou recuperando reinados e buscando meus alicerces. e eu espero que vocês achem os seus e que coisas bonitas topem com vocês facilmente. axé.

leia também:

**Acreditamos
nos livros**

Este livro foi composto em Arnhem e impresso
pela Gráfica Santa Marta para a Editora
Planeta do Brasil em novembro de 2024.